Avontuur voor peuter en kleuter

Ron Schröder & Marianne Busser

Op reis met opa Brom

Tekeningen van Harmen van Straaten

Zwijsen thuis

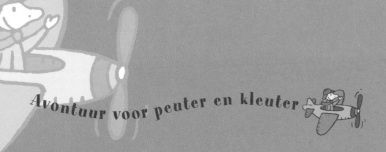

Avontuur voor peuter en kleuter

NUR 272
© 2001 Tekst: Ron Schröder & Marianne Busser
© 2001 Tekeningen: Harmen van Straaten
Vormgeving: De Witlofcompagnie, Antwerpen
© 2004 Uitgeverij Zwijsen Algemeen B.V. Tilburg

0 1 2 3 4 5 / 06 05 04 03 02

ISBN 90.276.7703.4

Voor België: Zwijsen-Infoboek, Meerhout
D/2004/1919/223

De kleuterklas van juffrouw Plooij
stond netjes op de stoep.
En ieder kind had zelf een tas
met broodjes en wat snoep.
Ze waren met zijn allen
bij de bushalte gaan staan,
om met de bus gezellig
naar de dierentuin te gaan.

Toen iedereen was ingestapt,
riep juffrouw Plooij: 'O jee!
Opa Brom is er nog niet,
en hij moet ook nog mee.'
De buschauffeur zei: 'Jongens,
het is tijd - we moeten gaan.'
Maar juffrouw Plooij riep: 'Eén moment,
want daar komt opa aan.'

De buschauffeur vroeg lachend:
'Hoort er ook een ópa bij?'
'Ja,' zei juf, 'hij zit al maanden
in de klas bij mij.
Hij doet mee met plakken, knippen,
puzzelen en scheuren.
En hij kan prachtig zingen, kleien,
en met stiften kleuren.'

Opa stapte opgewekt
de grote schoolbus binnen.
Toen gingen alle deuren dicht
en kon de reis beginnen.
Opa zei: 'Daar gaan we dan,
en ik heb een idee.
Ik weet nog wel wat liedjes.
Wie zingt er met me mee?'

Hij zong over drie beren
en over zes kamelen.
En ook over twee tijgers
die piano gingen spelen.
Hij zong over een aapje
met een grote, rode bal.
Maar toen riep juf: 'Nu even stil,
want kijk, we zijn er al!'

Ze stapten samen uit de bus.
Nu kon het feest beginnen.
En vrolijk liep de kleuterklas
het dierentuintje binnen.
Ze liepen langs de leeuwen,
die heel stil lagen te slapen.
Ze kwamen langs de tijgers
en ze keken naar de apen.

Maar de apen deden weinig,
en opa Brom zei toen:
'Ik zal ze wel eens eventjes
wat kunstjes laten doen.'
Hij ging vlak voor het hok staan
en trok een gek gezicht.
Hij zwaaide met zijn petje
en deed zijn ogen dicht.

Daarna deed hij een dansje,
maar viel over een stok,
en alle apen brulden
van het lachen in hun hok.
Opa krabbelde weer op
en zei toen: 'Dat was dat.
Zo hebben al die apen
weer een beetje lol gehad.'

'Nu gaan we naar de olifant,'
zei juf. 'Ik zie hem al.'
Het beest kwam net naar buiten
uit de olifantenstal.
Opa Brom klom op het hek.
'Kijk eens wat ik durf!'
Maar tóen pakte de olifant
het tasje met zijn slurf.

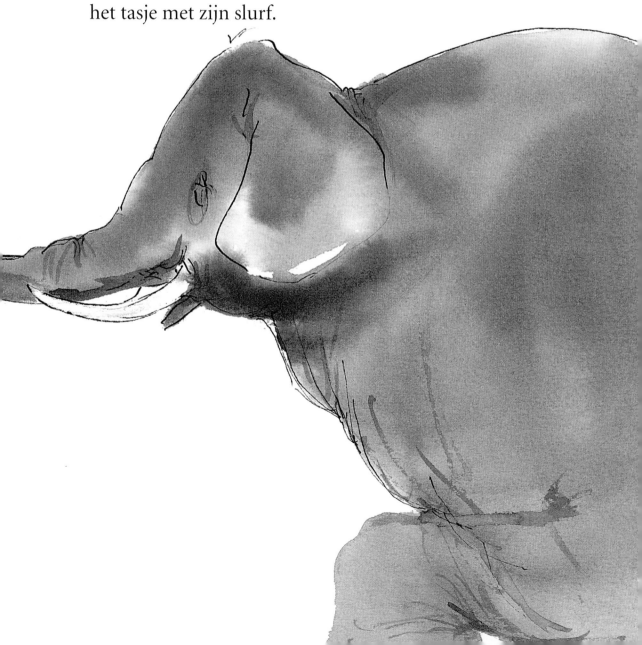

'Help!' riep opa Brom. 'Niet doen.
Dat tasje is van mij!'
'Wie doet dat nou?' zei juf.
'U kwam ook te dichtbij!'
De olifant hield opa's tasje
even op zijn kop.
De broodjes vielen op de grond
en hij at alles op.

Geschrokken kwam de oppasser
eens kijken en hij zei:
'Als u dat nóg een keer probeert,
dan krijgt u straf van mij.'
'Het spijt me echt,' zei opa Brom.
'Ik wou hem lekker aaien.
Maar ik zal voortaan - eerlijk waar -
alleen maar even zwaaien.'

Toen wees opa vrolijk
naar de kinderboerderij.
Hij riep: 'Kijk, dát is leuk.
Wie gaat er mee met mij?'
Hij liep met alle kleuters
stralend rond tussen de geitjes.
Hij knuffelde konijntjes
en hij vroeg een kip om eitjes.

Hij lachte toen een hangbuikzwijntje
aan zijn schoenen likte,
maar schrok toen er een gans kwam
die hard in zijn billen pikte.
'Help me toch!' riep opa Brom.
'Die rare vogel bijt me.'
'U doet ook veel te wild,' zei juf.
En opa zei: 'Het spijt me.'

Twee kleutertjes die gingen bij
een papegaai proberen
of het dier misschien de naam
van opa Brom wou leren.
En vraag je nu die papegaai:
'Wie is ontzettend dom?'
Dan roept die vogel: 'Koppie krauw!'
en daarna: 'Opa Brom!'

Toen mochten ze gaan eten,
met zijn allen op het gras.
Juf haalde snel wat bekertjes
en drinken uit haar tas.
Want iedereen die had natuurlijk
vreselijk veel dorst.
Ze smulden van het drinken
en van brood met kaas of worst.

En na het eten gingen
alle kleuters even mee.
Ze mochten snel een plas doen,
een voor een op de wc.
En na het plassen zei juf Plooij:
'Ik zie een bordje staan.
En de pijl die wijst ons hoe wij
naar de speeltuin moeten gaan.'

Opa Brom die rende
op de glijbaan af en zei:
'Wat een vréselijk leuk ding.
Dat is écht iets voor mij.'
Hij klom het rode trapje op
en zei: 'Daar ga ik dan.'
En gierend van het lachen
riep hij: 'Kijk eens wat ik kan!'

Maar juffrouw Plooij riep:
'Opa Brom, wat heeft u nú gedaan?
Heeft u daar dat bord met
"Pas geverfd" dan niet zien staan?
Er zitten vlekken op uw broek
en op uw sokken en uw jas.
U bent de vieste kleuter
van mijn hele kleuterklas!'

Ten slotte reed de buschauffeur
de klas weer terug naar huis.
En na een uurtje rijden
waren ze weer veilig thuis.
Juf zei: 'Slaap maar lekker,
en tot morgen allemaal!'
En zo kwam er een einde
aan dit opa Brom-verhaal.

Een week daarna hing juffrouw Plooij
de foto's in de klas.
En dáárop kon je zien
dat het een leuke schoolreis was!

Lang leve de
kleuterklas
van
Opa Brom